GALICIA

FINIS TERRAE

IGNACIO
MARTINEZ
EIROA

GALICIA
FINIS TERRAE

Tabapress

Selección literaria y Textos
Ignacio Martínez-Eiroa

Dirección editorial
Concha Camarero

Fotografías
Eduardo Zamarripa

Fotografía de S.A.R. el Príncipe Don Felipe de Borbón
Dalda

Fotografías del Cruceiro de Hio y Marín
Foto-Video Núñez

Equipo editorial
Luis Miguel Pulgar
Mercedes Suárez

© 1989, TABAPRESS

ISBN: 84-86938-11-2
Depósito legal: M-26388-1989

Procesamiento de textos: TABAPRESS
Fotomecánica: DIA
Impresión: JULIO SOTO
Encuadernación: RAMOS

Con nuestro agradecimiento al Ministerio de Defensa
que proporcionó en su día los medios para la
realización de las fotografías aéreas.
El Editor agradece asimismo la colaboración prestada
por D. Salvador Cerqueiro.

A todos los que aman Galicia
y no la viven,
con el deseo de hacer más leve
el dolor de la lejanía.

Se inspira esta Dedicatoria en el título -*El dolor de la lejanía*- de una Conferencia pronunciada por Roberto Novoa Santos (1885-1933) en La Habana. Más tarde, en 1929, la misma fue publicada como ensayo. En él define la morriña como *ese dulce sentimiento de tristeza asociado al deseo de retornar a la tierra nativa.*

Envío desde estas páginas mi
saludo a todos los Jóvenes del Mundo, y
muy especialmente a los que concurren a
las hermosas tierras gallegas de Compostela,
en señal de amistad entre los Pueblos.
Que este encuentro recuerde a todos la
necesaria solidaridad, que es la mejor
garantía de Paz y Progreso.

Muy afectuosamente

Felipe

Príncipe de Asturias

GALICIA DEL CAMINO Y LA SAUDADE

José Filgueira Valverde

Director Emérito del Museo de Pontevedra
Numerario de la Real Academia de la Historia
y de la Gallega

Algunas veces me han preguntado qué apelativo o dictado elegiría para calificar a Galicia, a la manera de la "dulce Francia", "Italia, mi ventura" o "Cataluña rica y plena"... Contesté que dudaba entre Galicia *do camiño* o Galicia *da saudade* que, en el fondo, vienen a decir algo análogo.

Comencemos con una "composición de lugar". Don Ramón del Valle-Inclán, hijo y cantor de la Tierra de Salnés, volviendo de un ferial por los altos del monte Castrove, descabalgó para reposar unos instantes y descubrió, de súbito, todo el trascendental sentido del paisaje en la emoción de los innúmeros senderos que lo cruzan. Se lee así, en una de las más bellas páginas de su afiligranada prosa:

> *"Mirando hacia abajo se descubrían tierras labradas con una geometría ingenua, y prados cristalinos entre mimbrales. El campo tenía una gracia inocente bajo la lluvia. Los senderos de color barcino ondulaban cortando el verde de los herberos y la geometría de las siembras. Cuando el sol rasgaba la boira, el campo se entonaba de oro con la emoción de una antigua pintura, y sobre la gracia inocente de los prados, y en el tablero de las siembras, los senderos parecían las flámulas donde escribían las leyendas de sus cuadros los viejos maestros de aquel tiempo en que las sombras de los santos peregrinaban por los senderos de Italia... Pero nada me llenó de gozo como el ondular de los caminos a través de los herbales y las tierras labradas. Yo los reconocía de pronto con una sacudida. Reconocía las encrucijadas abiertas en medio del campo, los vados de los arroyos, las sombras de los cercados. Aquel aprendizaje de las veredas, diluido por mis pasos en tantos años, se me revelaba en una cifra, consumado en el regazo de los valles, cristalino por el sol, intenso por la altura, sagrado como un número pitagórico... La Tierra de Salnés estaba toda en mi conciencia por la gracia de la visión gozosa y teologal".*

Los viajes aéreos nos permiten ahora descubrir nuevas perspectivas; fue precisamente Valle-Inclán uno de los primeros escritores que supo reflejarlas, en una visión de guerra. Pero la plenitud del gozo tiene que venir acompañada por la posesión de claves culturales. Son la historia, la estética, la simbología... las que han de adentrarnos en el sentido de esos horizontes que nos sorprenden y que despiertan nuestra admiración.

Los caminos

Los caminos, como las edificaciones, los monumentos, los cultivos y las plantaciones humanizan el paisaje. Nos hacen pensar en los hombres que los añadieron, con sus pisadas o con su trabajo, a la Naturaleza. Nos adentran en las lejanías de la memoria histórica.

Caminos peculiares los nuestros que nos muestran las huellas de un paso, muchas veces milenario, y que nos hablan de él, misteriosamente. Los describía así la Pardo Bazán:

> "Para subir a los castros había que dejar a un lado el monte y el encinar, torcer a la izquierda y penetrar en uno de esos caminos hondos característicos de Galicia, sepultados entre dos heredades altas y cubiertos por el pabellón de maleza que crece en sus bordes: caminos generalmente difíciles, porque la llaga del carro los surca de profundas zanjas, de indelebles arrugas... y, sin embargo, encantadores, poéticos... Quien estuviera hecho a conocer estos caminos hondos y el país gallego en general no se admiraría de las particularidades que presentaba aquella corredoira, así en su virginidad y misterio como en ser más honda que ninguna".

Semiótica del "camino"

Fray Luis de León al glosar la palabra Camino, como nombre que Cristo se dio a sí mismo (Juan 19, 6 y 21), enumera alguno de sus contenidos:

> "Por manera que este nombre, camino, además de lo que significa en propiedad, que es aquello adonde se va a algún lugar sin error, pasa su significado a otras cuatro cosas por semejanza: a la inclinación, a la profesión, a las obras de cada uno, a la ley y preceptos".

Así, se nos presenta el mundo terrenal como camino "a la morada sin pesar". Así vieron nuestros poetas el *camiño longo* de la vida -recordada a Ramón Cabanillas- y lo refleja el habla habitual.

Las locuciones y paremias sobre las sendas abundan en gallego, *Coller, seguir, un camiño, Porse en camiño, Ensina-lo camiño, Ir por bo o por mal camiño, A bo camiño bo andar, A mal camiño darse presa, Camiño longo paso curto, En todos lados hai unha legoa de mal camiño, Mal camiño non vai a bo lugar, Hay camiños novos por atallos vellos, En longos camiños conócense os amigos...*

Por ser tantos y de tan variada configuración es tan rico también el léxico en sus denominaciones, más de medio ciento, desde la *estrada*, el *camiño real* o *francés* y la *verea* a las intransitables *curripas, curruchos* y *cañeiras*. El P. Sarmiento y el P. Crespo recogieron muchos: *abaixada, andada, andadura, andaime, andameo y andame, anfraito, atallo, brita, caella, canella y calella y calexa, calzada, camiño,* al que pueden añadirse determinaciones: *de carro, de rodas, de ferradura, vello, novo, cuberto, estrado, carral, carrexo, carreira, carreirón y carrileira, carroucha y carroucho, congostra, corga y corguexa, paso, quello, supé, vía, vieira, venela, viela, vieliña, rúa*..., aparte los pasos y desfiladeros: *portela, agolada, engroba, releixo, galga, pasadelo, cala* y de las denominaciones de los atrios y de las plazoletas rurales: *adro, adral, quinteiro, rueiro...*

Laribus vialibus

Los caminos son aquí una prolongación del hogar. Se vive mucho y se habla mucho en ellos. Se cuidan o se descuidan como propios. Se *estran* y reparan, cumpliendo uno de los servicios comunitarios. Pero no son solamente un bien de la *parroquia de los que viven*. En la mitología popular los habitadores soterraños salen a los *viveiros* con sus tesoros y sus tretas. Y la devoción por los muertos, ve a las ánimas recorrerlos en fantasmal cortejo.

De esta compenetración entre la casa y el camino hay un testimonio impresionante. Los *lares*, divinidades del hogar y del culto doméstico, se veneraban aquí como protectores de las vías y de quienes por ellas caminaban: son *lares viales*. De todo el Imperio Romano es en Galicia donde abundan los epígrafes dedicados a ellos y quizás de aquí haya irradiado el culto. Son más de veinte las *aras* dedicadas a ellos. Quizás hayan recogido la advocación de algún numen indígena prerromano. Se les rendía culto con preferencia en los *trivia*, esas encrucijadas que todavía hoy son lugares ligados a prácticas y creencias mágicas.

San Martiño de Dume, en su *De correctione rusticorum*, "el primer monumento del folklore hispánico" (McKenna), las condenaba a mediados del siglo XV con estas palabras: *Pues encender cirios a las piedras, a los árboles y a las fuentes e por las encrucijadas ¿qué otra cosa es sino veneración del demonio?*

Las aras fueron derribadas; sobre los miliarios que perpetuaban el culto al Emperador se trazaron o emplazaron cruces y en los trivios se levantaron los *cruceiros*.

Os cruceiros

Tampoco existe un pueblo que haya cristianizado los caminos y los paisajes con tanta profusión de cruces. La sacralización con la cruz sencilla será muy antigua; la forma actual, como cruz procesional labrada en granito, es ya tardía, fomentada por las órdenes mendicantes. He dicho en otra ocasión que San Vicente Ferrer sería quizá un sembrador de *cruceiros* y de *calvaires*. No hay en nuestras artes del pueblo nada más entrañable. El libro de Castelao, obra maestra de la erudición artística, es digno tributo a esas creaciones tan nuestras que, como han cantado los poetas, parecen brotar de la tierra misma.

Vinculados, como exvotos o por erección popular, al sendero, al trivio, a la plaza o al *quinteiro*, son saludados por el que pasa. En sus gradas juegan los pequeños, se citan para sus *parafeos* los enamorados, toman el sol los ancianos. Ante ellos se detienen los entierros para el rezo de los responsos. Los varales siguen *enfeitándose* de ramas en la fiesta de los mayos y en el solsticio de verano. Ante ellos se encendían lamparillas y velas a las ánimas. Aún hoy son mudos testigos de *avinzas* y juramentos.

Los *cruceiros* bendicen los caminos, pero no faltarán en la tradición oral ensalmos que conjuren los males que acechan al viandante. Gil Vicente recogió uno en la *Rubena*:

> *"Em tanto quero eu benzer*
> *os caminhos e carreiras..."*

La "Galaxia", imagen mística

En la sabiduría popular de todos los pueblos el camino real, la vía recta, se presenta en contraposición a la tortuosa, la *vereda torta*. La *vía regia* es, para místicos y ascetas, la de la unión con Dios.

La interpretación de la "Galaxia" como una imagen celeste del "camino real" responde a esta sublimación, como ha expresado Jean Chevalier:

> *"En todas las tradiciones la Vía Láctea aparece como un lugar de paso, de origen divino, que liga los mundos divinos y terrestres. Así ha sido comparada a la sierpe, al río, a la traza de un paso, a un salpicado de leche, a una costura, a un árbol. Es elegida, para su viaje entre los mundos, por las almas y por los pájaros. Simboliza la vía de los peregrinos, de los exploradores, de los místicos, de un lugar a otro de la tierra y de un plano a otro del cosmos, de un nivel a otro de la psiquis. Marca también una frontera entre el mundo del movimiento y la inmóvil eternidad".*

Entre nosotros se liga a las tradiciones maestras de nuestra historia; es el *camiño de Santiago*, y decimos que cabalga por él, tal como lo cantó García Lorca en uno de sus primeros poemas. Las gentes, al denominarlo así, están evocando, de una manera inconsciente, su papel de guía hacia el occidental finisterre, el nido del Sol que, en la hermosa narración de Losada Diéguez, venían buscando Gael y Lin, fundadores de nuestro pueblo, y que ésa es la ruta que el Apóstol Santiago señalaba en la visión de Aquisgrán a Carlomagno para que la siguiese para liberar su sepulcro.

Las tradiciones jacobeas

Deteneos un momento a pensar que esta Tierra nuestra se acoge al patronato de Santiago, peregrino hasta el fin del mundo, para pregonar el Evangelio, traídas después sus reliquias por la ruta de las viejas navegaciones a las Cassitérides y desde éstas al fondo del Mediterráneo. Que lo hemos representado como un andariego, *alter Christus*, con su bordón y su esclavina, haciendo nuestras las palabras de Francisco de Asís, pensando que *"nuestro señor Jesucristo... fue pobre y peregrino y vivió de limosna tanto El como la Beata Virgen y los discípulos suyos*", también representamos a Santa María como Divina Peregrina, tal como la había imaginado ya Tertuliano en el siglo III, caminando en busca de su Hijo, que es el mismo afán que llenó de gentes de las más diversas naciones y lenguas las vías que traían hasta Compostela, en cuyo templo culminó la arquitectura de peregrinación, mientras se preparaba la epifanía de nuestra lírica. Y en esos caminos se llamará *viadeira* la canción dualística, el *leixa-pren* de andar cantando, la forma admirable de nuestra *poesía de santuarios*.

Y así el *camiño* llevaba al apogeo de nuestra cultura.

Un pueblo de caminantes

Pueblo de viajeros. Hacer camino es símbolo de la busca de la verdad, de la paz, de la inmortalidad. Romeros de una tierra, centro y meta de peregrinación, que creen que *van de mortos se non van de vivos* a los santuarios. Gentes con ansia de cambio, necesitadas de nuevos horizontes, destinadas tantas veces a una emigración, no siempre dictada por la necesidad: *Les vrais voyageurs sont ceux-la que partent pour partir*, decía Baudelaire.

Entre las primeras referencias históricas a Galicia encontramos ya a nuestros hombres lejos de su patria. Basta recordar los sabidos versos de Silio Itálico cuando presenta a los *milites* gallegos de las huestes de Aníbal acompañándose en la marcha con cantos en su propia lengua. Impresiona hallar nombres galaicos, como el del orfebre Medamus, en lugares remotos. Entre las figuras insignes de los siglos IV y V reconocemos este impulso a seguir las difíciles rutas del ecumen. Podían ciertamente decir con Bachiario *Peregrinus ego sum*. Egeria recorre, con curiosa mirada, los Santos Lugares del Ultramar palestino; Orosio lleva mensajes de San Agustín a San Jerónimo, y está presente en el Concilio de Jerusalén; San Dámaso ocupa la cátedra de San Pedro; Aelia Flaccilla se desposa con el emperador Teodosio; Prisciliano camina a Roma y Tréveris, donde sufre el martirio.

Siguiendo el rumbo de la Galaxia habría de llegarnos, en la época nueva, el evangelizador Martín de Dume, desde la Panonia, mientras San Fructuoso es un fundador caminante de cenobios. Los britones inmigrantes en Galicia establecen una diócesis itinerante. Luego, en los movimientos de población que suceden a la invasión islámica, recibiremos nuevas oleadas de posesores germánicos y repoblaremos tierras foráneas en el medievo con nuestros "juniores de heredad". Y ... llegaría un momento en que las mayores ciudades gallegas no estarían en la metrópoli sino en América. La Galicia de la diáspora está en todas las naciones del mundo.

Los caminos en el mapa de Fontán

La dispersión del hábitat gallego exige una tupida red viaria y motiva una intensísima circulación. Basta pensar en los treinta y tres mil lugares, las tres mil ochocientas parroquias, el millón de topónimos... Domingo Fontán la reflejó, por primera vez, en su *Carta Geométrica*, en 1834. Otero Pedrayo gustaba de imaginar lo que pudieran comentar, siguiendo el tejido de los caminos sobre ese mapa, gentes de muy diversa condición: el trajinante, que hablaría de los mesones y yantares, y los buenos vinos -*Ribeiro, Alvariño, Condado, Amandi*-; el arqueólogo que señalaría los campos de dólmenes y los castros, seguiría las vías romanas, evocaría los orígenes y la grandeza de monasterios y santuarios; el hidalgo que haría recuento de sus estancias en cada pazo y de las confituras de los conventos de monjas; la viejecita aldeana que sólo recordaba el camino de San Andrés de Teixido, seguido por un voto; el poeta que reviviría las evocaciones literarias del ensueño pondaliano de Anllóns, el Sar de Rosalía, la *Virxe do Cristal* de Curros, la rosaleda de Cabanillas, los tojales de Noriega, el Lérez de Amado Carballo, las procesiones marineras del Rianxo de Castelao. Y la pasión de escuchar un rumor de generaciones en marcha, *el coral del trabajo y del camino*.

Así, el viejo Don Rosendo de *Arredor de sí*, al sentirse morir, hizo que su sobrino Adrián Solovio le trajera *el Fontán*, para ir reviviendo, en él, la emoción de la tierra, en su despedida.

La clave parroquial

En las estadísticas podéis encontrar los nombres y las advocaciones de esas parroquias de Galicia -de ellas sólo sesenta y ocho urbanas-, los lugares que agrupan y el número de vecinos que las habitan. Dicen mucho esas cifras, y guardan testimonios históricos los topónimos. Pero detrás de la mención de cada feligresía hay claves más hondas. Estas células básicas -históricas, religiosas, sociales- tienen una orgánica muy compleja, como formadas por una superposición de planos demóticos y espirituales.

En primer término tenéis a los habitadores presentes y actuales, gentes que comparten vivencias, nosísticamente, y suelen desempeñar trabajos diversos, pues hay muchos que son a la vez labradores y marineros, obreros o artesanos. Todos se ayudan en las tareas comunitarias y cada uno se aferra en la defensa de sus bienes patrimoniales. En otro plano de la vida parroquial están los profesionales, los burócratas, los empresarios, los estudiantes.

Pero hay otra parroquia, distinta y distante, la *parroquia de los emigrados*, que se esfuerzan por repetir en la diáspora, por el ancho mundo, la solidaridad de la feligresía nativa. Viven pendientes de ella, como los que siguen en la tierra tienen la mente puesta en los que se ausentaron.

Pero los antropólogos os hablarán de más estratos de la vida social. Hay otra parroquia que se siente como presente y activa, la *parroquia de los muertos*. En la lírica rosaliana, son *sombras* que acompañan a los vivientes. Es una *santa compaña*, una compañía del más allá, que prolonga la solidaridad vecinal. No ya el cortejo nocturno de las almas que no salen de las lindes vecinales, sino el perenne sentido de su cercanía, el culto a su memoria, el sufragio y el encomendarse a ellas. La *parroquia de los vivos* se ampara en la de los muertos. Este es uno de los pueblos del mundo que mantienen con mayor ahínco esta solidaridad.

Pero aún hay otra colectividad, legendaria. Las *feligresías* nacieron cerca de los campos de túmulos dolménicos que señalan remotas demarcaciones tribales, a la sombra de los "verdes castros" o sobre los muros de *citanias* protohistóricas y de *villas* romanas. Bajo estas ruinas sigue imaginándose la vida de fantásticos habitadores subterráneos -*os mouros*- supervivientes de las viejas culturas. Guardan sus tesoros y a veces los muestran y ofrecen; gentes pacíficas, benéficas, burlonas..., protagonistas de relatos y facecias.

El cambio de la cultura agraria a la civilización industrial va determinando la pérdida de la tradición oral. Desaparecen las *muiñadas*, los *fiadeiros*, las *esfollas*... Incluso las báquicas *vendimias* pierden su carácter. Se mantienen los intercambios en las tertulias de las tradicionales tabernas lugareñas y perdura el encuentro dominical, en la misa de la iglesia -hogar que preside la feligresía-. Pero la escasez de clero aleja a los párrocos y las rectorales pierden su sentido etimológico ante la lenta pero progresiva secularización.

Las parroquias se agrupan en arciprestazgos que mantienen arcaicos y reveladores corónimos y que responden a una división eclesiástica comarcal de indudable arraigo geográfico e histórico. Son hitos en la reivindicación de la *parroquia*, como núcleo fundamental del vivir gallego los estudios de Murguía, Risco, Carmelo Lisón y Fariña Jamardo. Para comprender Galicia, comenzad por comprender el significado de las feligresías.

El diálogo con la Naturaleza

Andar y ver, Galicia adelante, obliga al diálogo con la Naturaleza y con la historia.

La *omnianimación*, clave de la lírica gallega desde sus orígenes, es el fruto de una empatía con las hermanas criaturas. Así, las *amigas*, enamoradas, del *Cancioneiro* medieval se dirigían a las ondas del mar, a las flores del pino, a las ciervas del monte.

Pero, a par de este poético franciscanismo, hay nuestro impulso a humanizar conociendo y denominando. Como decía Unamuno, hacemos nuestras las cosas cuando podemos poseer sus nombres. En esta riqueza de Galicia, en todos los reinos de la Naturaleza, hay que caminar dialogando, y dialogar en busca de las realidades.

Pensad en la realidad geológica: una recia base de rocas arcaicas configura la tectónica gallega. Sobre ella tejen su tela tantas y tantas veredas. Las siguió, por primera vez, con designio geognóstico, un caballerito alemán, Wilhelm Schulz, recién graduado por la Universidad de Gottinga, que publicaba en 1835 el fruto de sus trabajos:

"*Si quisiera expresar todas las observaciones que me han sugerido mis viajes por Galicia, se formaría una obra bastante larga. Sólo trataré de dar a conocer los diversos terrenos y lo que éstos pueden ofrecer a la minería y demás ramas de la industria que necesitan, como base, estas primeras materias*".

Hoy podría añadir mucho a la expresión de su asombro, porque las investigaciones que él inició fueron continuadas por Rodríguez Seoane, Casares, Valenzuela Ozores y, de reciente, por Parga Pondal y los equipos que con él colaboraron. Guiados por ellos caminaríamos hacia la península de Masanteo en Ortigueira, para contemplar las rocas más antiguas del Continente: ¡dos mil millones de años! O buscaríamos en los yacimientos de estaño la clave de la explotación de las Cassitérides y, en las médulas del Bierzo y el Montefurado, el testimonio de la codicia romana: claves de nuestra antigua historia. Y en los museos: regalo de la vista y admiración ante las ocultas riquezas de Galicia: en el "Luis Iglesias" de la Universidad, en el "Parga Pondal" en Sada, en la "Casa de las Ciencias" coruñesa.

Para la ruta de la copiosísima flora gallega ¡qué experto guía el más ilustre de los camineros gallegos de la "Ilustración", Fray Martín Sarmiento! En sus obras hallaréis registro y léxico de los *vegetables* que recogía en sus correrías. Sería grato escucharlo, en los senderos de la Ulla, bordeados de rosales, o en aquel jardín botánico natural de Valdeorras, pródigo en plantas medicinales.

Escogeríamos la estación en que compite el oro denso de las naranjas con la filigrana de las mimbreras y la mancha trepadora de las mimosas que serán alegre mundo de la primavera. Los matices de los verdes, en cualquier *valgada*, son innumerables y tornadizos.

Días en que a uno le agradaría vivir en el Pazo de Santa Cruz de Ribadulla, cuyos señores formaron en el siglo XVIII uno de los más ilustres arboretos de la Galicia interior y allí, donde repasó Jovellanos el *Informe de la Ley Agraria*, pasear por las avenidas de bojes centenarios valorando las calidades de cada variedad. Y después sentarse *a carón do lume* con un libro amigo. Podría ser el viejo *Quer*, a quien Sarmiento hizo estudiar la flora de estas tierras, o el *Bosc* impreso el mil ochocientos, los *Recuerdos botánicos de Galicia* de Colmeiro, las *Memorias* de Valenzuela, la *Flora* del Padre Merino, que cataloga, en una reducida comarca, cerca de ochocientas especies. O si queréis algo más reciente, el volumen amenísimo de Rafael Areses sobre nuestros parques y jardines. Cualquiera de estos libros prueba lo que un gran amigo mío llama *el tropicalismo pontevedrés*. Porque aquí podéis bajar en quince minutos de la altitud de Madrid y de la flora alpina (Faro de Domayo, Castrove...) a los parques urbanos con sus paseos de palmeras y magnolios, sus plazas con naranjos, elogiados ya por Ambrosio de Morales.

En las páginas de Areses hallaréis confirmado el gusto de las gentes de las Rías por la flora exótica y la aptitud de esta tierra para su adaptación. Figueirido, Lourizán, Marín, La Caeira, Poyo, Sotomayor, el Castriño, Areas, la Golpelleira, Castrelos, Bellavista, Monterreal, como los pazos de las Mariñas y de Ortigueira, prueban la fertilidad del suelo y lo favorable de este clima impar. Lo más extraño es el maridaje de lo importado y de lo *enxebre*: el *son de negrada* al lado de la *cantiga de amigo*, la *chumbera* que decora el crucero de Marcón o que forma setos a par del hórreo de Mougás. Puig puede enseñaros en Mourente mitológicos *agaves* también mejicanos, y en Lourizán hallaréis *guayabo*, y *tecoma* en Sarandello. Las redichas flores de la *yuca* del Caribe lucen en las andas de las procesiones aldeanas. En Navidad, los Duques de Terranova podían regalaros esos diminutos árboles que forma el *Cactus tubiflora*, venido de Madagascar... Aquí el *granado* que elogió nuestro Fray Luis despliega su pompa en la misma calle de la Peregrina. Origen persa tienen la *zelkova* de Villagarcía, la *palmera* de Oya, el *laurel real* que ya había anotado en 1757 el P. Sarmiento.

En la Golpelleira veréis los más altos *cirios* del Perú. La *gunera* de Ribadulla o el *gualeguay* de la finca de Besada en Poyo tienen también oriundez chilena y las *palmeras cocos* de los Jardines de Vicenti fueron traídas del Brasil. Aquí la china *abelia* conserva en el Gorgullón sus hojas todo el año, y se aclimató en Salcedo el árbol *tung*, cuyas semillas trajo la Sota, y se ufana de sus *aralias* Caldas, de sus *buldeias* Vigo, de sus *cunigamias* los Jardines de Vicenti, y hasta podemos exhibir ese admirable fósil prehistórico que es el *ginko* en el Castriño y en Bellavista. Son regalo del Japón los decorativos *Prunus alba* del jardín de la familia Méndez Núñez y la *skimia* de Monteporreiro. Del Nepal vendría a Salcedo el *árbol portafresas*, como los *deodora* de la Golpelleira y del Alhoya, y la *Coca laurifolia* de la Caeira.

Recuerdo quizá de nuestros navegantes, la flora del Cabo de Buena Esperanza asombra al que llega, imaginándose con error un país perennemente arropado en nieblas septentrionales: en el jardín del Hotel o en Montecelo puede ver cómo han fructificado las *bananeras*; en Chancelas florece el *aleurites*. El *metrosíderos*, ese noble y pintoresco árbol con sus raíces en el aire, ha venido de Nueva Zelanda a Vigo; como las *dracenas* del Paseo de las Palmeras. Australia, que nos regaló quizá por mano del P. Salvado en 1880 los primeros *eucaliptus*, las *acacias* y el *falso chopo*, está representada por las bellísimas *araucarias* del Pazo de Gandarón, el raro *balantium* de Torrecedeira, la *bauksia*, en ejemplar único, de nuestros jardines de San Fernando, la *gravilea* del Costado, la *hakea* de Areas.

Bellísimos árboles de California, Virginia y Canadá han aclimatado en Galicia, que puede mostraros ejemplares de excepción: la gigantesca *washintonia* de Pontevedra, el *olmo campestre* que tiene Campos en Cuntis, el inmenso *cedro de Oregón* de Sotomayor, la *sequoia* de la Quinta de Mon en Poyo. Al cortejo acudirán también los *tilos* de hojas gigantescas de la admirable avenida del Pazo de Oca, que traen nobleza eslava, y la *palma Christi*, venida de Abisinia.

Este gigantesco jardín botánico que son las Rías Bajas, este paraíso del naturalista es un don de Dios que ha permitido el gusto señorial por las plantas exóticas y los frutos raros y las bellas flores. Porque aquí se ha cultivado desde hace muchos siglos la capacidad estética para prender la voluntad en la belleza efímera de la flor. La *camelia* es cifra y símbolo del espíritu de la fecunda *beiramar* pontevedresa.

También os invitamos a seguir la historia natural de la fauna gallega, desde la "Misión Biológica" que inició en la Península, con Gallástegui y Odriozola, lo que hoy llamamos "ingeniería genética", a los viveros y a las cetarias de los más sabrosos mariscos, a las granjas que crían los visones, a la desértica soledad de las montañas, donde los caballos salvajes huyen en estampida, temerosos de los forzudos mozos que los dominan en los *curros*.

Podéis gozar del espectáculo trepidante de las lonjas marineras, colosales muestras de todos los peces que catalogó Cornide. Os sorprenderán las cifras de ventas de las cooperativas agrarias. Os enternecerá ver a estas *mulleriñas* que llevan a pastar, del ronzal, a sus vacas, con cuidadoso cariño. Os cruzaréis en las *congostras* con el cazador que sale, al rayar el alba, con sus perros -"¡Aquí *Carabel*, aquí *Capitán*!"- añorando los tiempos en que salía a la busca del urogallo, y al pescador, con su caña y su cesto, que baja al deleitoso remanso del coto salmonero.

Caminos del ayer y del futuro

Quedamos ya pocos de los que gozamos del placer de recorrer a pie las calzadas de la vieja Galicia, siguiendo los recovecos de las costas, de playa en playa, de acantilado en acantilado, reposando en villas de marineros fachendosos y de enlutadas, laboriosas mujeres. Subiendo, desde los lujuriantes emparrados, por los *sucalcos* de las márgenes de los ríos a la *boca-ribeira*, amada de Don Ramón, y a las tierras altas, con sus *chaos* y sus *picoutos*, "vecinos de los cielos", como decía Góngora. Desde la tierra de los pinares, bien queridos por Pondal, a la de los célticos robles cantados por Rosalía y a las *soledades contritas* de urces y tojales. Por vías romanas, por los múltiples caminos que llevan a Compostela, cruzando los umbrosos ríos por puentes monacales o siguiendo las estradas bordeadas de abedules, con avenidas dieciochescas.

Hay muchas rutas que seguir en Galicia. De todas se os ofrece pregón o recuerdo en los admirables testimonios gráficos de este libro.

La de los testigos de la *Prehistoria*: talleres del paleolítico, insculturas rupestres, dólmenes que cobijaron tesoros y guardan leyendas, fuertes castros, citanias un día populosas...

La de las obras en que *Roma* quiso dejar la impronta de su poder: murallas, puentes, termas ... Y el enigmático ninfeo de Bóveda.

La del *románico* de los templos que pretenden espejar el arquetipo santiagués, la del *gótico* de las órdenes mendicantes; la de los *castillos* que sobrevivieron a las luchas feudales y al levantamiento "irmandiño"; la del *barroco* de los grandes monasterios; la del *neoclásico* de los mejores pazos, la de las nuevas arquitecturas.

Y, sobre todo, la ruta de las ciudades y de las villas.

Compostela de Santiago, galaica y ecuménica, tronco románico y barroca fronda, "por el Apóstol, santa; por Gelmírez, urbe; por Fonseca, sabia; por los Literarios, heroica".

Coruña, que tiene en su blasón la Torre de Hércules, erguida sobre la cabeza de Gerión, "cristal y sonrisa", "la ciudad donde nadie es forastero".

Lugo, augústea cabeza de la Gallaecia del Miño, que ha sabido mantener el cerco de su muralla como un viril del ostensorio, blasón y emblema que evoca el Grial del Cebreiro-Monsalvat.

El *Ourense* perdurable, de quien dice el cantar que tiene tres tesoros: "el Santo Cristo, la puente y la Burga echando el agua". Cálido hogar de nuestra cultura, sede de la "xeración Nós" que supo exaltarla.

Pontevedra, la *boa vila*, *a vila do Reino*, que os llama "para quedaros", con el encanto de sus plazas y de sus calles asoportaladas, la riqueza de sus museos y sus templos, la variedad de sus paisajes.

Ferrol, elegante trazado neoclásico y potente tradición industrial, nacido de los astilleros y arsenales del XVIII, fiel a la Armada de sus tradiciones y abierta a la novedad intelectual.

Vigo, activa, de rapidísima formación, cabecera de un poblado *hinterland*, sobre otro de los mejores puertos de Europa, en el mar de los *Cancioneiros*, vital *fronteira do alén* en el lema acuñado por Méndez Ferrín.

Tres de las ciudades del antiguo Reino que no han logrado ser capitales políticas ni administrativas, conservan su patrimonio de arte y sus prestigios históricos: *Betanzos de los Caballeros*, en las fértiles Mariñas, al borde del poético Mandeo, señorío de los Andrade, que fomentaron su auge. Otras dos mantuvieron el rango de sedes episcopales, con sus catedrales y sus escuelas: *Mondoñedo*, rosa de plata, al fondo del valle del Cabe, que supo de la inmigración de los britones y del suplicio de Pardo de Cela; la bien cantada por la magia verbal de Cunqueiro; *Tui*, cerca de la desembocadura del Miño, que dialoga, de fortaleza a fortaleza, con Valença, sobre el Portugal hermano, y que difundió por el mundo el culto marinero del fray Pedro González *Telmo*.

Y no faltará el testimonio de esa gran riqueza gallega que son las villas; nacidas unas del tráfico portuario y pesquero, con recuerdos gremiales y nobiliarios; otras, por el prestigio de unas aguas termales; algunas, por la periodicidad de las ferias; muchas, núcleos itinerarios, en el paso de los ríos, en las jornadas del "camino francés"..., y no faltan las que, de reciente, han crecido al amparo de nuevas industrias e instalaciones comerciales.

Meta y regazo

Si el cauce estelar de la Galaxia es imagen difícil de traducir a la plástica, salvo en la representación de la estrella, la perfectísima *concha venera* tuvo fortuna y es tanto la imagen de la mano generosa, que dona o que vierte el agua bautismal, como la estilización de las radiales vías que convergen en una meta.

Los poetas han acuñado para Galicia el dictado de *tierra regazo*. Acogedora, maternal, ha querido abrir la recia muralla de las sierras que la separan y defienden y el abrigo de sus seguros puertos. Y por ello pudo aculturar los más variados influjos. Tanto que, por veces, en su acogimiento de lo ajeno ha llegado a infravalorar lo propio, con una suerte de autoxenofobia.

La presencia de tantas oleadas étnicas sucesivas, a lo largo de los tiempos, y, sobre todo, el contacto con las "naciones" peregrinantes y la diáspora, acendraron, sin duda, su capacidad de comprensión. Las variadas situaciones históricas, el contraste de mudanzas y el padecimiento de infortunios, estimularon la actitud irónica, un tanto escéptica, de un pueblo a la defensiva, como lo denominaba el maestro Sánchez Albornoz. Todos estos caracteres son compartidos por los *hombres en camino*, que han adquirido en los avatares de cada jornada y en cada lugar nuevas experiencias.

Otros caminos espirituales han aprendido en el devenir histórico los gallegos. Podríamos cifrarlos en el título de uno de los libros menos conocidos de Otero Pedrayo, 19

Por os vieiros da saudade. Esa otra "Galaxia", esa vía de la peregrinación del sentimiento, desde la noche de la angustia existencial, en la ausencia del Ser, al día luminoso de la esperanza. He ahí la gran senda, en la perdurable *Galicia del camino, Galicia finis terrae* o *fisterra.*

Por los caminos da saudade

Para caminar por las sendas *da saudade*, podéis buscar compañía en las lecturas de Novoa Santos, Plácido Castro, Ramón Piñeiro, Rof Carballo ... Para éste, en coincidencia con pensadores foráneos, nostalgia, *saudade, morriña* se vinculan no sólo al sentimiento de la Naturaleza sino, concretamente, a las tierras donde las montañas permiten alcanzar, en toda su pureza, horizontes dominados por los elementos del paisaje que, para ser *saudoso*, ha de contar con la impronta humana y las nieblas que propician el misterio.

La *saudade* es, por tanto, un *pathos* de lejanía y de misterio, generador de comunidad con la Naturaleza y de impulsos migratorios.

Tal es la vinculación al paisaje y a los caminos de esa vivencia pasiva de la propia soledad que tiende a la humanización, a la animación del cosmos, a una concepción poética *do mundo, da vida e do home, á interpretación lírica do ser* (Ramón Piñeiro).

Que esta clave os ayude a gozar, "con ojos de Rosalía", estas visiones de la Naturaleza, de la Vida, del Arte ... de la profunda y original Galicia, de la que este libro, *GALICIA FINIS TERRAE*, es un sugerente testimonio.

Cruceiros homildiños, / cruceiros aldeanos,
que o mesmo que almas mudas da paisaxe,
recolledes en vós a paz dos agros.
Vellos cruceiros tristes, / solitarios,
erguidos a carón dos comareiros
i á veira das igrexas e dos adros
onde as desparecidas / xeneracións rezaron,
i onde a vos das edades inda sona
coma unha ledanía, coma un salmo ...

Eladio Rodríguez González

Niebla y pinos.
El Sol, como una moneda de oro viejo,
se puede mirar cara a cara.

Naquiles istantes estranos e fondos figuraban
locir no mapa agras marelas de centeo,
ermos vestidos de frores de toxo e de piorno,
serras penedosas, campanarios barrocos,
xente que vai polos sendeiros aos muiños e ás feiras,
verdeceres de camposantos, fuxir de augas, praias
douradas, galgar de ondas nos cóns,
velas que sain ronselando a mar,
orballeiras sobre os arboredos mestos,
rúas de vellas cidades, soedaes de esquencidos mosteiros.

Otero Pedrayo, *Arredor de sí*

Xa ven o vento do mar
xa ven o vento mareiro
xa ven o vento do mar
xa ven o meu mariñeiro.

En la página siguiente, "O Centolo", próximo a Finisterre,
que ha sido espectador de muchos naufragios.
En sus bajos se hundió, el 11 de junio de 1932,
el crucero Blas de Lezo.

La familia montañesa en su universo:
el hórreo, los pajares, la huerta,
las cuadras, el río próximo,
las sábanas al sol,
las tierras recién aradas.

*Carril es un activo puerto pesquero
ubicado en la misma desembocadura del río Ulla,
frente a la isla de Cortegada.
Hoy su caserío se halla prácticamente unido
al de Villagarcía de Arosa.*

Monforte es una villa cuya historia ha transcurrido
íntimamente ligada a la Casa de Lemos
desde que en el ya muy lejano siglo XII
el monarca castellano-leonés Alfonso VI
la entregara en señorío a Froilán Díaz.
Dominando la fotografía, el castillo de los Condes
de Lemos. Hoy Monforte es una población industriosa
y un notable nudo ferroviario.

Betanzos, abrazada por el Mandeo y el Mendo,
llegó a ostentar la capitalidad del reino de Galicia en 1055.
Ganado después el rango de ciudad en el siglo XV,
se erigió en uno de los grandes puertos pesqueros del reino.
Hoy, lejos ya los pasados esplendores,
es una industriosa ciudad que no ha perdido su pasada belleza,
razón que llevó a su declaración como conjunto
histórico-artístico en 1970.

En la página anterior, Orense, cuyo poblamiento
se remonta al Paleolítico, convirtiéndose en foco
de atracción gracias a sus burgas, o fuentes termales.
Cabeza de diócesis y sede episcopal desde el año 569,
fue también capital del reino bajo Teodomiro.
En la actualidad es una ciudad moderna, hospitalaria y culta.

La Coruña. En primer término la Plaza de María Pita
que recuerda la gesta de Dª María la Mayor
Fernández de la Cámara y Pita, heroína
de la defensa de la ciudad contra el asalto
de la armada de Drake en 1589.

Sencilla capilla en la austera comarca de Cervantes.

El que peregrina a Santiago encuentra en San Julián de Samos
grata acogida y cómodo reposo.
Su origen se remonta al siglo VI.
En el siglo XI sirvió de refugio a los monjes
que huían de la España sarracena.
Presenta una hermosa fachada barroca
a la que sólo faltan las siempre airosas torres.

Catedral de Santiago: en primer término
la Torre Berenguela y a la izquierda el claustro.
Al fondo, a la izquierda, el Palacio de Rajoy.

El cruceiro de la imagen recogida en la página siguiente
ampara con su sombra protectora
a cuantos navegan por el río Ulla.

Pazo de Xaz, próximo a La Coruña.

En los amaneceres del Pazo de Soutomaior
aún se escucha el galope del caballo de Pedro Madruga,
sobrenombre de D. Pedro Alvarez de Soutomaior,
Conde de Camiña.

Las islas Lobeiras resplandecen al Sol.
Envueltas en la niebla son un peligroso obstáculo
para los barcos que buscan el abrigo
de la ría de Corcubión.

Santo Cristo de Fisterra,
Cristo da barba dourada,
dame forzas pra pasare
a laxe de Touriñana.

*Los acantilados de la costa Norte
se alzan como adelantados de los cabos.*

Cabo Villano o Vilán,
un nombre temido de todos los navegantes.

La isla de Arosa engastada como una esmeralda
en el centro de la mayor y, para algunos,
la más bella de las rías gallegas.

En la página anterior, boca de la ría,
y al fondo Ferrol. Plaza fuerte,
Capitanía General del Departamento del Cantábrico;
dos veces fue atacada por la armada inglesa
y las dos rechazó el ataque.
Cuna de barcos y de hombres del mar.

La isla de San Simón, bajo estas líneas, fue posesión
de los templarios desde el siglo XII al XIV.
Sufrió el saqueo de Drake en el XVI
y más tarde fue refugio de franciscanos y benedictinos.
En el siglo XIX, coincidiendo con el crecimiento
del puerto de Vigo, fue destinada a lazareto.

"Sediame eu na ermida de San Simón
e cercáronme as ondas do mar maior
e non hei barqueiro nin remador".
Mendiño, siglo XIII.

En la página siguiente, imagen de
la ría de Ortigueira.

Sobre estas líneas, cabo Ortegal.
En la página siguiente, arriba, isla en Villanueva de Arosa,
donde más de una vez verían el sol reflejado los ojos niños
de Don Ramón del Valle-Inclán.
Abajo, isla de Ons: centinela de la ría de Pontevedra.

La Costa de la muerte.
O Centolo en primer término y al fondo Finisterre.
Hoy, gracias a los modernos medios de navegación,
va perdiendo razón de ser, en parte, su trágica leyenda.

Santo Cristo de Fisterra
que viñeste pol-o mar
líbranos do mar a terra
e líbranos de afogar.

*Cedeira, villa marinera, ya habitada en época romana
y bautizada en latín Cetaria.*

En la página siguiente, cabo Corrubedo.

Gaviota, vuela,
vuela y di "a os mariñeiros"
que siempre hay alguien que los espera.

Según los relatos mitológicos, Hércules cortó
en este lugar la cabeza del tirano Gerión.
Tras enterrarlo, levantó sobre el lugar la torre
que hoy lleva el nombre del héroe.
Sea como sea, la Torre de Hércules,
imagen de la página siguiente,
es el único faro romano que se conserva,
siendo su imagen conocida en todo el mundo
como símbolo de la ciudad de La Coruña.

Faro en las islas Cíes.

*En la página siguiente, faro en el cabo Finisterre,
el extremo más occidental del continente europeo.
En ese lugar, cuenta la historia que las legiones
de Décimo Junio Bruto se "sintieron poseídas
de religioso terror" cuando contemplaron el Sol
en el momento en que "se ahogaba" en el ignoto mar.*

La provincia gallega más poblada
es la mar.

Esperando la marea,
en la isla de Arosa.

Las pequeñas embarcaciones pesqueras
se cuentan por millares
en las muy pobladas costas gallegas.

Extraña pesca.

Preparándose para robar su tesoro a la mar.

Dos páginas atrás,
atardecer en la ría
de Pontevedra.

Las mejilloneras desplegadas
en la ría de Arosa
son como una escuadra
dispuesta para abastecer
de sabrosos mejillones
a todas las mesas de España.

*Estaban al abrigo
de las Cíes,
con tres rizos
y achicando
continuamente
el agua".*

*José María
Castroviejo,
La Burla Negra*

Estaca de Bares.

Sobre el mar,
tu alegría tiene serenidad.
Mi balandro marinero
te llevará más allá.
No navegar,
más bien hundirnos
en una eterna profundidad.
No pensar,
más bien dormirnos
en una blanda inmensidad.
Tú y yo,
dos nubes blancas
sobre el mar.

Celso Emilio Ferreiro

Pueblo del Pindo a la sombra del monte Pindo,
el monte sagrado de los Celtas según la leyenda.
La cúspide, Peña Moa, se eleva
640 metros sobre el nivel del mar.

La Coruña, en una bella imagen al atardecer.
En primer término, el muelle de abrigo "Barrié de la Maza".

Iba de El Ferrol a Betanzos, bordeando las rías,
restregándose la vista con verdura anegada
en suave neblina. El mar lame a lengüetazos de rías
la verdura de los viejos montes postrados,
les rebusca los pliegues y se esconde en sus frondosidades,
mientras ellos le ciñen y abrazan.

Miguel de Unamuno, Por tierras de Portugal y España.

En la página anterior, Malpica de Bergantiños,
antiguo puerto ballenero que vive y ha vivido
del mar y para la mar.
Al fondo, el cabo San Adrián y las islas Sisargas.

Puerto del Son, a la sombra del Barbanza,
en la ría de Noia, próximo al Castro de Baroña.

Real Villa de Mugardos, fundada en el siglo XVI
por los Mariño de Barreira.

Vexo vigo, vexo Vigo,
tamen vexo Redondela,
vexo a Ponte de San Paio
camiño da miña terra.

Cancionero popular

Entre Pontevedra e Vigo,
entre Vigo e Pontevedra,
está a Ponte de San Paio,
mociños, paráivos n'ela.

Cancionero popular

"Los franceses, que avanzaban
desde Pontevedra por la orilla
derecha del río, tropezaron
en Ponte Sampaiao
con los gallegos del Conde
de Moraña, de Morillo
y de La Carrera.
El impensado desastre
fue total y Ney,
el bravo entre los bravos,
conoció la amplitud
amarga de una derrota".

José María Castroviejo,
La Burla Negra

Bajo las plácidas aguas
de la bahía de Rande
duermen un sueño de siglos
los galeones cargados de oro
y plata que fueron hundidos
para evitar que cayeran
en manos de una escuadra
anglo-holandesa.

Capilla de La Lanzada,
del siglo XII,
de estilo románico tardío.

Castillo de San Antón (La Coruña), cuyas obras se iniciaron
en 1588, siendo Capitán General de Galicia el Marqués
de Cerralbo. "El fuerte de San Antón -escribió Tiburcio Spanochi
en 1589-, convenía mucho para la seguridad de todo este puerto
y ba vien encaminado; fáltale por hacer las dos cortinas
más largas y el baluarte que corresponde hacia el castillo,
todo lo cual está hecho de tierra y lo demás de fábrica muy buena".

*Desde su ermita de La Lanzada,
la Virgen contempla los nueve baños
de las mujeres infecundas que desean un hijo.*

Vigo, el puerto del adiós
para los gallegos
que elegían la aventura
de América.
Vigo es hoy la capital
industrial de Galicia.

En las imágenes, el Castillo de San Felipe,
en El Ferrol. Su construcción se inició
entre 1587 y 1591, siendo Capitán General
de Galicia el Marqués de Cerralbo.
Sobre ello escribiría en 1589 Tiburcio Spanochi:
"Hallé empezado en esta boca un fuerte,
por orden del Marqués de Cerralbo,
en un sitio a mi parecer el mejor de los que hay
en todo aquel espacio de la entrada".

El Castillo del Cardenal, en Corcubión, data del año 1744.
En 1764, José Cornide escribiría sobre él: "A poca distancia
de este arenal (Quenje) ay otra punta en que está situado
un Fuerte llamado del Cardenal, con doce cañones montados
y las oficinas correspondientes, en las que podrán estar
para hacer el servicio hasta noventa hombres. Domina la entrada
del Puerto y la mayor parte de la Ría".

En la página siguiente, Santuario de la Virgen de la Barca,
en Muxia. Su edificación se atribuye, según la tradición,
a que fue en esa costa donde atracó la Virgen su barca de piedra,
para ayudar a Santiago en su tarea de evangelización. Así
lo recogió el pueblo en su Cancionero:
"Nosa Señora de Barca, / ten o tellado de pedra,
ben o poidera ter d'ouro / miña Virxe se quixera".

Hermosa imagen del castillo de Pambre, del siglo XIV,
casa solariega de los Ozores de Ulloa.

Castillo de Narahio, empinado sobre las rocas
desde hace más de seis siglos.
En el siglo XIV el rey Enrique II lo arrebató
a su legítimo dueño, Gonzalo Piñeiro,
partidario de Don Pedro el Cruel,
e hizo donación a Fernán Pérez de Andrade.

*Sobre estas líneas, las Torres de Mens donde,
envuelta en la hiedra,
duerme la gloria de los Condes de Altamira.*

*En la página anterior, arriba, Castillo de Vimianzo,
donde el obispo de Tuy, D. Diego de Muros,
fuera encerrado por la férrea mano de Pedro Madruga.
Abajo, el castillo de Maceda, en tierras de Orense,
que dio cobijo en su niñez al que luego fuera famoso
monarca Alfonso X el Sabio. Su permanencia
en tierras gallegas debió influir sin duda en sus obras.*

El inexpugnable castillo de Sobroso, en página anterior,
defendido por Diego Sarmiento, resistió sin rendirse
el asalto de las huestes de Pedro Madruga.
Es anterior al siglo XI.

El castillo de Doiras, sobre estas líneas,
se yergue en la comarca de Cervantes,
vigilando la entrada a Galicia desde tierras leonesas.

"Viva la palma, viva la flor,
viva Pedro Madruga de Soutomaior".
Canción popular

En página siguiente, Fortaleza y Torre del Homenaje
de los Condes de Lemos en Monforte.

En estas páginas, imágenes del Pazo de Oca,
del siglo XVIII. Sus árboles centenarios,
su acueducto cuidadosamente labrado, los estanques,
el laberinto, la arquería y las maravillas que guarda
en su interior justifican el título de "Versalles gallego"
por el que se le conoce.

La Torre de Tebra, dominando el valle del mismo nombre, marcaba el límite sur del poderío de los Soutomaior.

*El Pazo de Meirás
fue construido
por Ruy de Mondego
en el siglo XVI.
En él vivió, soñó
y escribió
Dª Emilia Pardo
Bazán, siendo
más tarde
residencia estival
del general Franco,
Jefe de Estado.*

*Sobre estas líneas, Pazo de Lourizán, cerca de Pontevedra,
ligado a la familia de los Montero Ríos.*

*En la página anterior, arriba, Pazo de Xismonde.
Abajo, Pazo de Tor, al que Valle-Inclán dedicó estas palabras
en su "Sonata de Otoño": "En el fondo del laberinto
cantaba la fuente como un pájaro escondido, y el sol poniente
doraba los cristales del mirador donde nosotros esperábamos.
Era tibio y fragante. Gentiles arcos cerrados por vidrieras
de colores le flanqueaban con ese artificio del siglo galante
que imaginó las pavanas y las gavotas.
En cada arco, las vidrieras formaban tríptico
y podía verse el jardín en medio de una tormenta,
en medio de una nevada y en medio de un aguacero.
Aquella tarde el sol de Otoño penetraba hasta el centro
como la fatigada lanza de un héroe antiguo".*

Pondal dedicó estos versos
a su lugar natal, Ponteceso:
"Eu nacín en agreste soedade,
eu nacín cabo dun agreste outeiro,
por onde o Anllóns con nobre maxestade
camiña ao seu destino derradeiro.
Eu non nacín en vila nin cidade,
mais lonxe do seu ruído lisonxeiro;
eu nacín cabo de pinal espeso,
eu nacín na pequena Ponteceso".

Castro d'Ouro, en el Valle del Oro,
fortaleza del insumiso Don Pedro Pardo de Cela,
que pagó su orgullo con la vida,
por orden de los Reyes Católicos.

Pazo d'Ouro, en Noia.

*"Florece en invierno
la camelia
en los cerrados huertos".*

A. Cunqueiro.

Las nieblas y brumas son frecuentes compañeras
de los bosques, tierras y costas gallegos,
como testimonian las fotografías de la página anterior.
No puede sorprender el misterio.

Meandro en el río Miño,
en su discurrir por tierras de Lugo.

"En el fondo de una hondanada verde y umbría
se alzaba el Santuario de San Clodio Mártir
rodeado de cipreses centenarios
que cabeceaban tristemente.
El mendicante se detuvo y apoyado a dos manos
en el bordón contempló la aldea agrupada
en la falda de un monte,
entre foscos y sonoros pinares".

R. Valle-Inclán, *Flor de Santidad.*

"Prados, ríos, arboredas, / pinares que move o vento,
paxariños piadores, / casiña do meu contento".

Rosalía de Castro

"Allí nació Fontán, autor de la primera Carta geométrica
de Galicia. Una breve leyenda lo indica.
En plena tierra generosa del Salnés, flanqueada suavemente
al Occidente marino, plagada de pazos y leyendas,
decorada de pinares y vides, cerca del evocador
Lantaño de memorias caballerescas, en Portela do Conde".

José Filgueira Valverde

Dos páginas adelante, arriba,
Valle de Carnota, en el que
se levanta el mayor hórreo
de Galicia y que termina
en una de sus más bellas playas.
Abajo, estuario del río
Anllóns, en Ponteceso.

"Y como tal atrae a sus brazos
y llama a reclinarse en reposo
en su regazo, a soñar
en las aldas de sus montes;
es un paisaje habitable,
que seduce como un nido
incubador de morriñas
y saudades; es una naturaleza
humanizada, hecha mansión
del hombre, lugar de descanso
en que os aduerme como caricia
tibia un aliento de humedad
y las quejumbres dulces
de los pinos".

Miguel de Unamuno,
Por tierras de Portugal y España.

114

115

En la página anterior, arriba,
Valle de Valdoviño,
al fondo la playa y la laguna
habitada por raras especies
de aves acuáticas.
Abajo, Valle de Doniños;
al fondo, la laguna que dio pie
a la leyenda del pueblo
sumergido por su impiedad
y de cuyos habitantes
sólo sobrevivieron dos
niños (Do-niños).
Es más probable que el
nombre derive del
celta Dumnios.

Caballos salvajes en los montes
de Buio. Se diría que
sólo el viento es su dueño.

*San Lorenzo de Carboeiro, asentado en la margen
izquierda del río Deza, fue fundado
en el año 936 por los condes Don Gonzalo
y Doña Teresa, tíos de San Rosendo.*

El río Xallas, aunque poco caudaloso,
se distingue de cualquier otro
por la peculiaridad de que desemboca
al mar en forma de cascada.

En la imagen, Padrón, lugar donde cuenta la tradición
que atracó la barca que transportaba el cuerpo
del Hijo del Trueno, Santiago.
Fue el puerto de destino para los peregrinos
que hacían de la mar el camino para llegar a Compostela.
En los siglos XII y XIII alcanzó gran prosperidad.

En Montefurado -página siguiente- se realizó una obra
de ingeniería en época romana que se consideró
una de las maravillas de Galicia y del Imperio.
Su finalidad era recoger el oro que arrastraban las arenas
del río Sil, y que aún explotan las célebres "aureanas".

Panxón: monumento
a los marinos muertos en la mar.

*La Virgen de la Roca, a la salida de Baiona
hacia cabo Silleiro. Desde el mirador existente
en el monumento se abarca una gran extensión de mar,
viéndose la playa a la que el 1 de marzo de 1493
arribó la "Pinta", con Martín Alonso Pinzón
de capitán y el pontevedrés Sarmiento de piloto,
con la nueva del descubrimiento.*

El Castro de Baroña, habitado
hasta el siglo V,
tiene una doble muralla
defensiva de sesenta metros
de largo, puerta de entrada
y escalera, dos grupos
de habitaciones
y una plaza central.
Está declarado
Patrimonio Artístico
Nacional.

Las galerías constituyen elemento
característico de la arquitectura urbana
gallega. Tras sus cristales,
la vida transcurre plácida y sencilla.

En la página siguiente, arriba, Betanzos.
Abajo, Noia, en cuyo escudo figuran un arca y una paloma,
que la tradición relaciona con la supuesta fundación
de la ciudad por Noé. A continuación,
las mariñas de Noia a vista de pájaro.

Lugo, la Lucus romana, hidalga, campesina y ganadera,
ceñida por su muralla y presidida por la catedral;
ésta, edificada hace más de diez siglos,
guarda en su interior a la Virgen de los Ojos Grandes
y las reliquias del patrón de la ciudad, San Froilán.

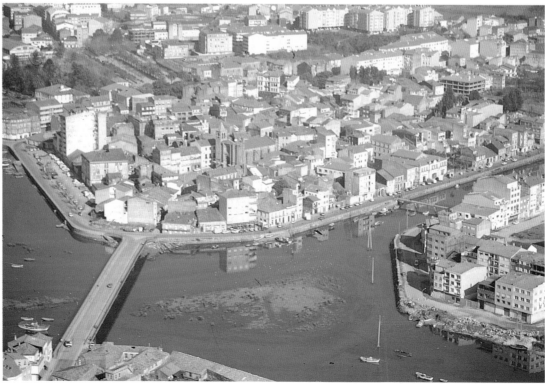

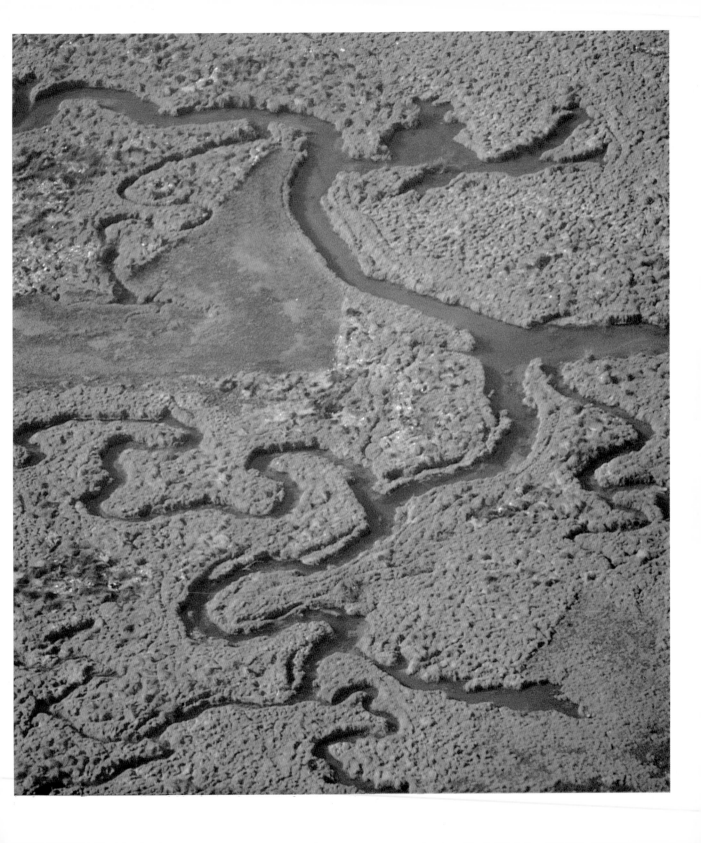

A o lonxe, Ourense

Terra que me namora,
cibdá do meu contente i alegría.
Con ela teño a miña fantasía
soñando con lecer, hora tras hora.

E soño unha imposíbel alba amante,
unha doce seitura
rente da orela escura
do río camiñante.

Un largasío outono de limós
ten alí o seu máxico aposento.
Pola porta do aire cruza o vento
decindo as súas canciós.

Silandeiros xardís
cinguidos de paxaros e roseiras.
Sombrizas carballeiras
como ronseles de ouro nos confís.

Hai un rebulir de veas latexantes
no misterio das fontes.
Baixo a gracia das pontes
pasa un espello azul de augas distantes.

Baixa lenta a serán
dende segredas torres desprendida,
e na brisa durmida
pendura unha mazán.

Celso Emilio Ferreiro

*Panorámica de Orense,
con su catedral
en primer plano.*

*Sobre estas líneas, Puente romano,
próximo a Ribadavia.*

*En la página siguiente, arriba, Puente romano
de Orense, construido en época de Augusto.
Y abajo, Fortaleza de Castro Caldelas,
de los Condes de Lemos.*

Ruinas del Castillo de los Condes de Ribadavia.

133

El Convento de Santo Domingo fue fundado en el año 1271 por frailes dominicos bajo la advocación de Santa María de Valparaíso. En su interior guarda importantes sepulcros medievales. Está declarado Monumento nacional. Ribadavia.

Redes, bonita villa marinera en la ría de Ares.

La Virgen Peregrina
descansa en Pontevedra
de su eterno caminar
dando consuelo.

Pontevedra y el río Lérez,
cuyas aguas dieron el primer beso
a la carabela que al correr de los días
sería rebautizada por Colón
como "la Santa María".

Sanxenxo,
solar de Paio Gómez Chariño,
trovador y almirante
que remontó el Guadalquivir
para reconquistar Sevilla
en el siglo XIII.

Tuy, con su catedral-fortaleza
del siglo XII, vigila el paso del Miño.
Su historia se remonta
a la colonización griega.
Fue capital del reino de Galicia
y es sede episcopal.

La historia de San Juan de Poio
se remonta al siglo V
y está ligada a Santa Trahamunda
que, prisionera en Córdoba,
penaba de saudade hasta que fue traída
milagrosamente hasta las playas
de la isla de Tambo, frente al monasterio.
El edificio actual es del siglo XVI.

La fuente de San Juan de Poio
pone música de fondo a la salve sabatina.

Combarro,
donde el mar
rinde pleitesía
a Galicia
besando las patas
de sus hórreos.

*La catedral de Tuy
pastorea la ciudad.*

La Real Colegiata de Santa María
del Campo, de estilo románico-ojival,
data del siglo XII y tiene categoría
de colegiata desde el 1441.
Es la iglesia del gremio de los marineros.

*Arriba, un rincón de Marín. A la derecha, cruceiro de Hío,
labrado en un bloque de roca por el escultor pontevedrés
José Cerviño, y en el que está simbolizada la historia cristiana
de la Humanidad, desde Adán y Eva a la salvación.*

Epílogo de una larga singladura.

*"A ti, meu Cambados,
probe e fidalgo e soñador,
que o cantareiro son dos pinales
e o agarimo dos teus pazos
lexendarios dormes deitado o Sol
a veira do mar".*

*Al poeta Ramón Cabanillas,
en Cambados.*

*Sobre el Castillo de Santa Cruz, construido en 1594,
escribió Jerónimo del Hoyo en 1607:
"Frontera del Fuerte de San Antón, de la otra parte
del puerto hacia Oriente, está otro fuerte que llaman
el Fuerte de Santa Cruz, y entre estos dos fuertes
hay de distancia una buena legua de mar".*

Saudo

¡Ouh!, meiga cibdá da Cruña,
cibdá da torre herculina,
de xenaraciós recordo
máis fortes que as de hoxe en día;
cibdá que por sobre os mares
ergues a cabeza altiva,
cal onte nas túas murallas
o brazo de María Pita.

¿Que tes nese teu recinto,
que tes prós que te visitan,
que conocerte non poden
sin que deixarte non sintan?

Curros Enríquez

Salvaxe Val de Brantoa

Salvaxe val de Brantoa, / en terra de Bergantiños;
ouh val, amado dos celtas / e dos fungadores pinos:
cando Gundar probe e escuro / sea deste mundo ido,
no teu seo silencioso / concédelle, val amigo,
sepulcro a modo dos celtas, / tan só de ti conocido.

Eduardo Pondal

Calles de Compostela,
pulidas por las sandalias de los peregrinos.

Sobre estas líneas, pétreo rincón compostelano.
En la página siguiente,
Torres del Obradoiro, guía y norte de peregrinos.

157

En la doble página anterior, a la izquierda, panorámica
de Santiago, con el Hostal de los Reyes Católicos,
antiguo Hospital Real, al fondo de la plaza.
Su construcción se inició en 1501, siendo dirigidas las obras
por Diego de Muros, concluyéndose en diez años.
En la página de la derecha, en primer plano,
el templo de San Francisco, mandado construir, según la leyenda,
por San Francisco de Asís en su visita a Santiago, entre 1213 y 1215,
a un carbonero llamado Catolay.

Sobre estas líneas, arriba, casas de Compostela.
Abajo, patio y claustro de San Martín Pinario.

*Amplia panorámica de Compostela,
en la que sobresalen las Torres de Santiago.*

Parte central de San Martín Pinario.
El actual edificio, del siglo XVII, fue edificado
en el mismo solar que ocupó el primitivo,
que había tenido que ser reconstruido varias veces
a partir del siglo XII. Remata la fachada
la imagen ecuestre de San Martín de Tours.

*Santiago peregrino sonríe benévolo
desde lo alto de la fachada del Obradoiro.*

161

Sobre estas líneas,
Palacio de Rajoy, construido en 1766
por el arzobispo Bartolomé Rajoy y Losada.
Actualmente es sede de la Xunta de Galicia.
A la derecha, fachada del Obradoiro,
que se alza como una oración labrada en piedra.

Santiago recibe a los peregrinos
desde el centro del altar mayor.

Mercado en Santiago.

Descansando al caer la tarde.

Había en el paisaje / una quietud de siglos.
Bajo un cielo sin nubes / tú y yo recogidos
escuchando la eterna / melodía del río.
Mil cosas nos dijeron / tu corazón y el mío,
la brisa desde el árbol, / el pájaro en su trino.
Todo estaba lejano, / transparente y dormido.
Todo tenía un algo / de nosotros mismos.
¡Qué recuerdo / tan hondo y sencillo!

Celso Emilio Ferreiro

Caaveiro,
sumido en la melancolía
y el abandono.

San Juan de Caaveiro,
construido sobre una colina
a orillas del Eume,
organizó su vida monacal
bajo la dirección de San Rosendo
en el siglo X.

En Monfero duermen el sueño eterno
algunos de los señores de Andrade.

Santa María de Monfero,
monasterio benedictino anterior al siglo X,
se incorporó a la disciplina del Cister en 1147.

Original fachada ajedrezada de Monfero,
con sillares de piedra y pizarra.

En la imagen, el Monasterio cisterciense de Armenteira,
de donde un día salió San Ero
para escuchar el canto celestial del jilguero
que lo mantuvo embelesado durante doscientos años.
Su fundación se remonta al año 1150.

*El Monasterio de Oseira, junto al río del mismo nombre, fue
el primer cenobio cisterciense de Galicia y el cuarto de España,
siendo el año de su fundación el de 1137. Sus primeros monjes
vivieron bajo la Regla de San Benito, incorporándose posteriormente
al Císter, en 1141, fecha en la que llegaron monjes
procedentes del monasterio francés de Claraval,
a instancias de Alfonso VII. Sus dominios llegaron a extenderse
hasta Marín, donde disponía de flota pesquera propia.
Hoy, tantos siglos después, continúa siendo monasterio cisterciense,
con dignidad de Abadía.*

El Monasterio de San Salvador de Celanova fue fundado
en el siglo X a instancias de San Rosendo, que fue su abad
desde el año 959 al 977, fecha de su muerte.
En lo que fue jardín del monasterio se conserva la capilla
de San Miguel, también del siglo X, único ejemplar
de arquitectura mozárabe en Galicia.

Románticas ruinas de Santa Mariña do Gozo,
en Cambados, "con los arcos sosteniendo el aire",
como dijera Alvaro Cunqueiro.

*Monasterio de Oya, frente al Atlántico, en el que los monjes
artilleros, entre jaculatorias y cañonazos,
hundían los bajeles enemigos que osaban acercarse
a la costa. Situado entre Bayona y La Guardia,
es anterior al siglo XII.*

El Monasterio de Samos,
entre colinas, bosques, huertecillos
y prados.

El Monasterio de Santa María
de Sobrado,
equidistante de Santiago,
La Coruña y Lugo,
fue fundado como cenobio
en el año 952 bajo la advocación
de San Salvador.
Su vida como tal
se extinguió en el año 1060.
El abad Pedro, llegado de Claraval
con otros monjes,
recibió el Monasterio
de manos de los Condes de Traba
en 1142, y bajo la advocación
de Santa María lo incorporó
al Císter.

En la página siguiente,
fachada del Monasterio de Sobrado,
obra de Pedro Monteagudo, concluida en 1676.

Bajo estas líneas, dos detalles de la fachada
del Monasterio de Sobrado, cuya restauración
se debe al monje cisterciense Antonio Fernández Cid,
que trabajó sobre un granito labrado
casi a partes iguales
por hábiles artesanos y por las mansas lluvias
que besan dulcemente la piedra.

La Virgen de la Asunción,
en la fachada principal
del Monasterio de Sobrado.

A lo largo de los siglos XVII y XVIII,
Sobrado fue el monasterio
más floreciente de toda Galicia.

Uno de los claustros del Monasterio de Sobrado.

El origen del Santuario de los Milagros del Monte
es incierto, aunque se sabe que se remonta
más allá del siglo XII.
El edificio que ha llegado hasta nosotros
se concluyó en 1771.
Su gran fachada barroca está presidida por una imagen
de la Virgen, a cuyo pie hay un balcón
en el que se celebra misa en las grandes festividades.

Santa María de Abades.

A la izquierda, la Iglesia-fortaleza de Portomarín,
que fue trasladada piedra a piedra a su emplazamiento actual
desde el viejo Portomarín, anegado por las aguas.
A la derecha, iglesia del Monasterio de Villanueva de Lorenzana
(Mondoñedo). Fue construido en 1732 sobre un antiguo
monasterio benedictino del año 969.
Destaca en su interior el sepulcro del conde Osorio Gutiérrez,
fundador del primitivo monasterio, labrado en un mármol
que no existe en España y se supone traído de Tierra Santa.

Vista lateral del Santuario de los Milagros del Monte.

En la página anterior, arriba, Monasterio de Vilar de Donas,
en el que bajo una dulce mirada de mujer duermen
los caballeros de de la Orden de Santiago que morían peleando
por su rey. Fue fundado en el siglo XII por dos damas
(donas) de la familia de Arias Monterroso.
Abajo, Nuestra Señora de los Remedios, patrona de la ciudad
y de la diócesis de Mondoñedo.

En la imagen, Iglesia de Santa María de Mezonzo donde,
siendo abad del Monasterio San Pedro de Mezonzo,
éste compuso la "Salve Regina Mater":
"Dios te salve Reina y Madre de misericordia, vida y dulzura,
esperanza nuestra, Dios te salve".

*La iglesia, del siglo XII (año 1187), es lo único
que se conserva del antiguo monasterio de San Miguel de Breamo.
Goza de una posición privilegiada
entre las rías de Ares y Betanzos.*

*Agua para la sed de los monjes del Císter
en el Monasterio de Sobrado.*

El Miño ha llegado, perezosamente, al final de su camino,
el mar. Testigos de siempre, a la izquierda,
el monte de Santa Tecla; a la derecha,
las tierras hermanas de Portugal.
En la página siguiente, promontorio
sobre el que se alza la Torre de Hércules,
de donde partió según la leyenda el mítico Breogán hacia Irlanda.

Los ágiles "wind-surf"
parecen brillantes mariposas
posadas en la playa.

196

"E cando o mar de Corrubedo ronca,
choran as nais d'os mozos mariñeiros,
cheos de medo escóndense os rapaces,
e rezan os vellos".

Curros Enríquez

Al coronar El Cebreiro, Galicia se extiende ante el viajero
como una alfombra mágica.
A la izquierda, brumas en la comarca de Cervantes.

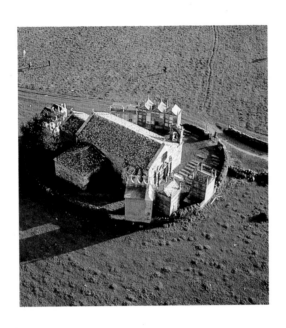

GALICIA, FINIS TERRAE
SE ACABO DE IMPRIMIR
EL 24 DE JULIO DE 1989,
EN LA VISPERA
DE LA FESTIVIDAD
DE SANTIAGO APOSTOL